Piotr Wilkoń

La gata Rosalinda

Ilustraciones de Bilder Józef Wilkoń

Traducción del alemán: Marinella Terzi

En una hermosa casa de la colina vivía una distinguida familia de gatos. En las paredes de la vivienda había fotos de los padres, los abuelos, los bisabuelos y los tatarabuelos de don Casimiro y doña Carolina. Todos habían sido famosos por su piel negra, que con el sol brillaba como el carbón. Don Casimiro se sentía orgulloso de sus antepasados.

Y, desde hacía tiempo, él y su mujer habían puesto todas las esperanzas en las crías que iban a nacer.

Por fin llegó el día esperado. Cuatro gatitos, tan negros como pequeños trozos de carbón.
—¡Éste es el día más feliz de mi vida! —gritó don Casimiro.
—Desgraciadamente, no estoy tan segura —le contradijo doña Carolina—. Hay otro más.

Don Casimiro giró asombrado y vio otra gatita, tan hermosa como sus hermanas y hermanos, sólo que era.... ¡pelirroja!
—¡No, no puede ser verdad! —balbuceó don Casimiro mientras observaba, consternado, a su quinto hijo.

—¡Oh, Dios mío! ¡Una gata pelirroja en mi familia!
¡Qué vergüenza! —gemía don Casimiro—. ¿Qué dirán los demás?

Pero todos aquellos lamentos no servían de nada.

El tiempo demostró que Rosalinda era una gata realmente difícil.
Hacía las cosas como ella quería. Era muy distinta del resto
de sus hermanos.

Cuando paseaban con mamá Carolina, Rosalinda siempre iba la última y se quedaba unos pasos atrás. Los gatos de la vecindad corrían a ver aquella extraña comitiva.
—¡Ahí va Rosalinda! —cuchicheaban.

Las cosas cada vez se pusieron peor. Rosalinda quería tomar té en lugar de leche. Comenzaba su aseo personal cuando sus hermanos ya se habían ido a dormir. Y continuaba durmiendo cuando los demás ya estaban levantados. En la primera clase de caza de ratones ocurrió algo extraño: Rosalinda no hizo intento alguno de cazarlos. Jugó y bailó con ellos como si fueran sus mejores amigos.

Los gatos de la vecindad estaban tan escandalizados que no volvieron a pisar aquella casa. En la colina se hizo el silencio. A don Casimiro le salieron muchas canas por las preocupaciones. Finos hilos de plata cubrieron su negrísima piel.

Un día, Rosalinda decidió no dormir más en la misma cesta que sus hermanos. Se trasladó a la caseta del perro Punky, que se llamaba así porque tenía la piel llena de manchas. El viejo spaniel la recibió con todos los honores. Le gustaban los gatos, pero hasta entonces nadie lo había notado.

Aquello fue la gota que colmó el vaso. Ningún miembro de una familia de gatos decente había tenido jamás amistad con un perro.

A la mañana siguiente, doña Carolina le dijo a su hija:
—¡Vas a acabar con toda la familia! ¿Cómo puedes hacerte amiga de un perro?
—Mamá —contestó Rosalinda—, déjame marchar. Deseo ser yo misma la que determine mi vida.
—Pero ¡yo te quiero! —respondió doña Carolina—. Compórtate de otra manera y quédate con nosotros.
—Tengo que irme —insistió Rosalinda.

Rosalinda se marchó y en la colina todo volvió a ser como antes. Los invitados entraban y salían de la casa. A don Casimiro no le salieron más canas y se tiñó de negro las que ya tenía. Pero doña Carolina estaba triste. Nadie sabía nada de Rosalinda. Una vez, tío Constantino dijo que la gata frecuentaba malas compañías. Se trataba con gatos pelirrojos e, incluso, con manchas.
—La culpa de todo la tiene ese espantoso Punky —opinó doña Carolina.
—Yo siempre supe que de ella no saldría nada bueno —dijo don Casimiro.

Hacía ya mucho tiempo que Rosalinda se había marchado. Sus hermanos habían crecido y formado sus propias familias. Un domingo por la tarde, don Casimiro y doña Carolina estaban sentados con sus hijos y nietos, todos negros como el carbón, ante el televisor. De pronto, apareció Rosalinda en la pantalla. Era la cantante de un famoso grupo de rock. A su alrededor chillaban sus fans, gatos de todos los colores.

—¡Es Rosalinda, nuestra hija! —gritó doña Carolina sin poder contener la emoción.

—Noto que me vuelven a salir canas —maulló don Casimiro, pero siguió mirando el programa atentamente hasta el final.

Un día, don Casimiro comenzó a dibujar el árbol genealógico de la familia. Entonces llamaron a la puerta. Era Rosalinda.

—¿Puedo entrar? —preguntó la gata—. Deseo presentaros a mis hijos. Quería venir antes, pero ya sabéis: las grabaciones de discos, los conciertos...

Seguían a Rosalinda tres ovillos pelirrojos y, detrás, un gatito negro.

—Se parece a mí como una gota de agua a otra —se asombró don Casimiro.

—Sí —contestó Rosalinda—. Es negro como el carbón. Le he puesto Casimiro en tu honor. No sé lo que será de él. Hace todo al revés que sus hermanos y quiere vivir con vosotros.

Doña Carolina abrazó a su nieto con amor y el corazón de don Casimiro sufrió una transformación. Desde ese momento, el abuelo pasó mucho tiempo con sus nietos, porque su hija Rosalinda debía viajar a menudo a causa de los conciertos.

En la casa de la colina nunca ha habido tantos invitados como ahora. Nadie se resiste a visitar a la familia de una cantante de rock tan famosa.

Título original: *Rosalind das Katzenkind*

Joaquín Turina, 39 - 28044 Madrid

Comercializa: CESMA, SA - Aguacate, 25 - 28044 Madrid

ISBN: 84-348-2926-6
Depósito legal: M-20122-1990
Fotocomposición: Grafilia, SL
Impreso en España/Printed in Spain
Omnia, I. G. - Mantuano, 27 - 28002 Madrid